Conseiller scientifique : Daniel Rousselet

First published in English by A & C Black (Publishers) Limited
with the title Hyacinth

© J. Coldrey et G. Bernard, 1989

© De Boeck-Wesmael s.a., 1990
203, Avenue Louise, 1050 Bruxelles
D 1990/0074/181
ISBN 2-8041-1442-2

Exclusivité en France :
Editions Gamma
77, rue de Vaugirard
75006 Paris
ISBN 2-7130-1111-6
Dépôt légal : D 1990/0195/57

Excluvisité au Canada :
Les Editions Ecole Active
2244, rue Rouen
Montréal H2K 1L5

Dépôts légaux :
4e trimestre 1990
Bibliothèque nationale du Québec
Bibliothèque nationale du Canada
ISBN 2-89069-243-4

Imprimé en Belgique

La jacinthe

Jennifer Coldrey et George Bernard

Voici un **bulbe**.

As-tu déjà vu des fleurs comme celles-ci?

Ce sont des jacinthes.
Elles poussent dans les parcs et les jardins.
On peut aussi les cultiver en pots, à l'intérieur des maisons.

Regarde la grande photo. Ce bulbe de jacinthe contient déjà toute la plante.

Ce livre t'explique comment les jacinthes se développent à partir du bulbe.

Une nouvelle **pousse** va se développer.

L'enveloppe du bulbe est mince comme du papier.
Le bulbe est formé par la base des feuilles de l'ancienne plante. Ici, le bulbe a été coupé en deux.

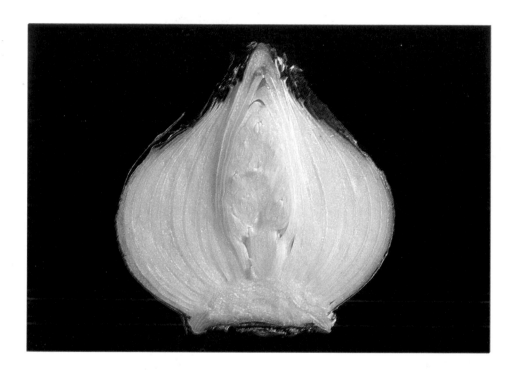

La future plante, de couleur jaune, est entourée d'**écailles** blanches qui lui fourniront la nourriture dont elle a besoin. Tu peux voir sous la plante un **plateau** blanc et aplati.

En automne, le bulbe commence à développer des racines. Au printemps, la nouvelle plante perce le sommet du bulbe.

La nouvelle plante grandit.

Trois semaines plus tard, la pousse a grandi.
Elle se nourrit toujours avec les écailles du bulbe.

Le plateau a fabriqué de nouvelles racines
qui s'enfoncent dans le sol.
Voici l'extrémité d'une racine en gros plan.

Vois-tu les minuscules poils qui couvrent cette partie
de la racine? Les poils pompent l'eau dont la plante
a besoin pour vivre.

Les feuilles s'ouvrent.

Tandis que la plante grandit, les premières feuilles s'ouvrent.
Elles sont maintenant grandes et fortes.
Chaque feuille contient des centaines de petits tuyaux qui distribuent la nourriture à toute la plante.

Regarde la grande photo.
Au bout de quelques semaines, la **partie florale** apparaît entre les feuilles.

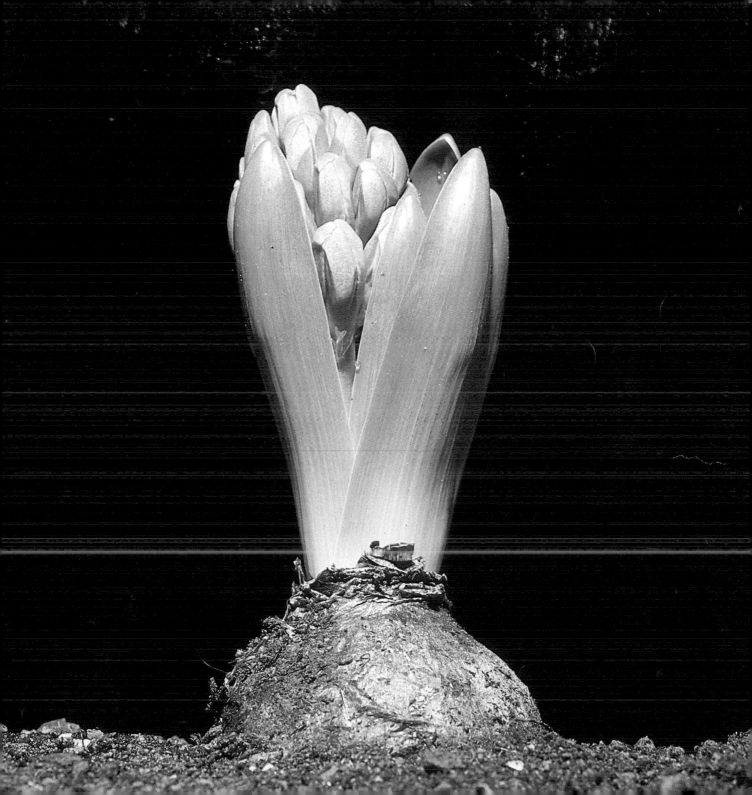

La partie florale s'ouvre.

La partie florale devient de plus en plus grande,
de plus en plus épanouie.

Des dizaines de petites fleurs rosées dépassent maintenant
des feuilles.
Voici un gros plan de quelques **boutons** de fleurs.

Ils sont encore verts et complètement fermés.
Lorsque le temps se réchauffe, les boutons des fleurs
deviennent roses. Puis ils s'ouvrent.

Regarde la grande photo.
Les fleurs du bas sont les premières à s'ouvrir.

A présent, toutes les fleurs sont ouvertes.

Une semaine plus tard environ, toutes les fleurs sont ouvertes.
Elles sentent très bon.

La plante a presque épuisé la nourriture contenue
dans les écailles. Maintenant elle fabrique sa propre nourriture.

Regarde la grande photo. Chaque fleur est attachée à la tige
principale par une sorte de petit tube qu'on appelle
le «pédicelle».
La fleur a six **tépales** qui sont attachés entre eux à la base.

Les insectes visitent les fleurs.

Cette fleur a été coupée en deux.

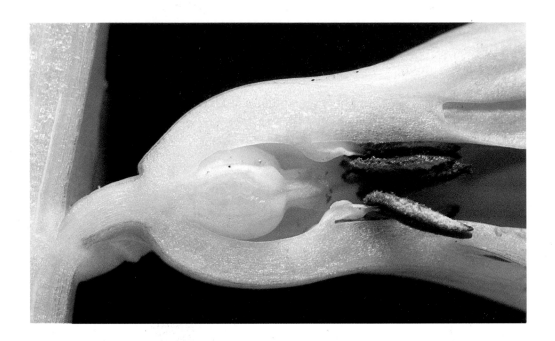

A l'intérieur de la fleur, de petits sacs allongés sont attachés à chacun des tépales. Ils sont remplis d'une poudre jaune qu'on appelle le «pollen». Tout au fond de la fleur, de minuscules graines attendent le moment de se développer.

Pendant les journées ensoleillées, des abeilles visitent les fleurs pour y trouver de la nourriture. Quand une abeille se faufile à l'intérieur d'une fleur, un peu de pollen se dépose sur les poils dont son corps est couvert. Vois-tu la récolte de pollen jaune sur la patte de cette abeille?

Les fleurs se **fanent**.
Les graines commencent à se développer.

Lorsque l'abeille visite une autre jacinthe, un peu de pollen
«étranger» s'y dépose.

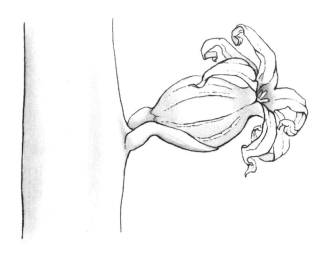

Les petites graines qui reçoivent ce pollen étranger peuvent
alors se développer.

Regarde la grande photo.
Les fleurs de cette jacinthe sont en train de se faner.
Chacune des fleurs se transforme en fruit.
A l'intérieur de chaque fleur, les graines commencent à
grossir.

Les graines grossissent de plus en plus.

Tandis que les tépales se dessèchent et meurent, les graines grandissent, bien protégées dans le fruit.

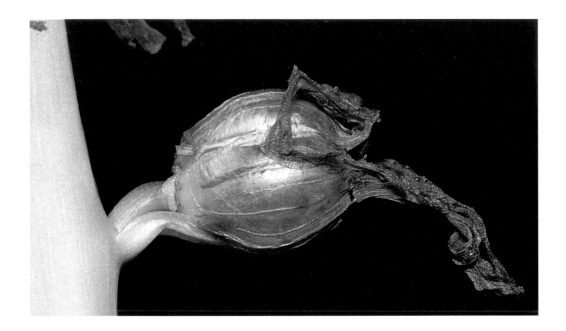

Regarde la grande photo. Le fruit de la jacinthe a été coupé en deux. On voit bien trois petites graines.

Les graines sont composées d'un centre liquide entouré d'une matière blanche.
Dans chacune des graines, il y a un **embryon**.

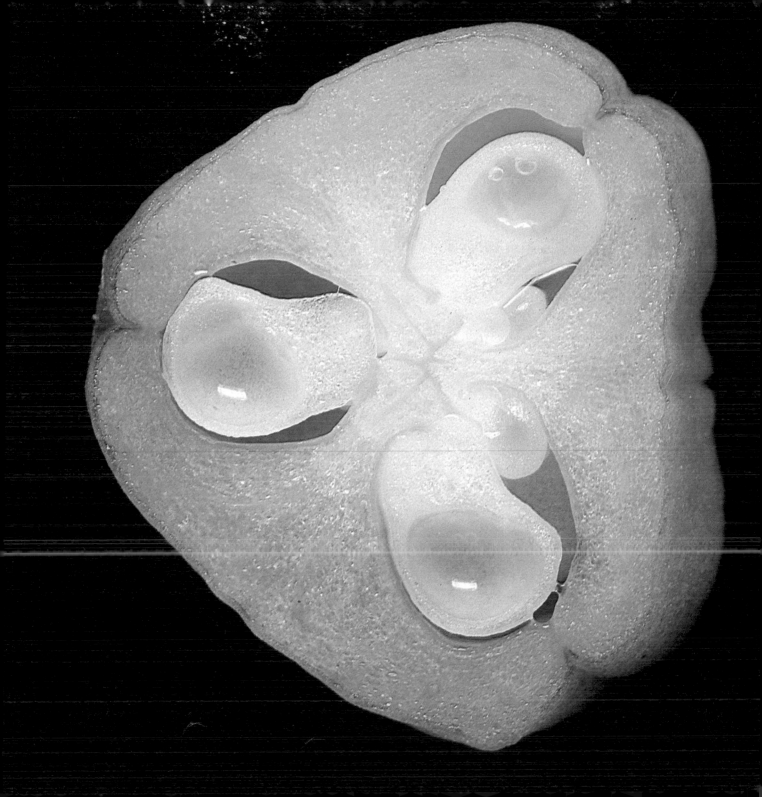

La plante meurt.

La jacinthe se dessèche; sa tige se courbe.
Lorsque la plante meurt, quelques graines tombent sur le sol.
De nouvelles petites jacinthes peuvent alors se développer
à partir des embryons contenus dans les graines.
Les feuilles de la jacinthe jaunissent et se dessèchent.

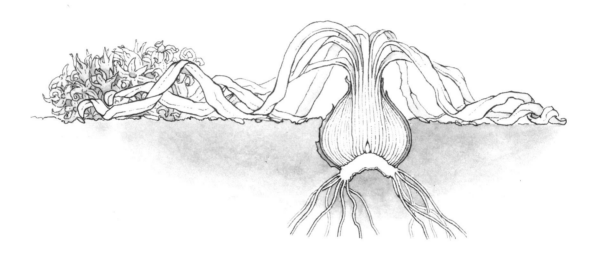

Mais sous la terre, à l'intérieur du bulbe, la base des feuilles
ne meurt pas. Elle se gorge de nourriture et forme de
nouvelles écailles pour le bulbe. Grâce à ces réserves,
une nouvelle plante pourra se développer au printemps
prochain.

Le bulbe reste au repos tout l'été.

Le bulbe reste au repos pendant tout l'été. Les racines meurent. Il n'y a plus aucune feuille au-dessus du sol.

Le bulbe lui-même ne meurt pas. Il contient une nouvelle jacinthe qui, bientôt, se développera.

Au printemps prochain, la nouvelle plante percera le sommet du bulbe.

Devine ce qui se passera ensuite...

Comment le bulbe se développe-t-il?
Essaie de le raconter avec tes propres mots.
Ces images t'aideront.

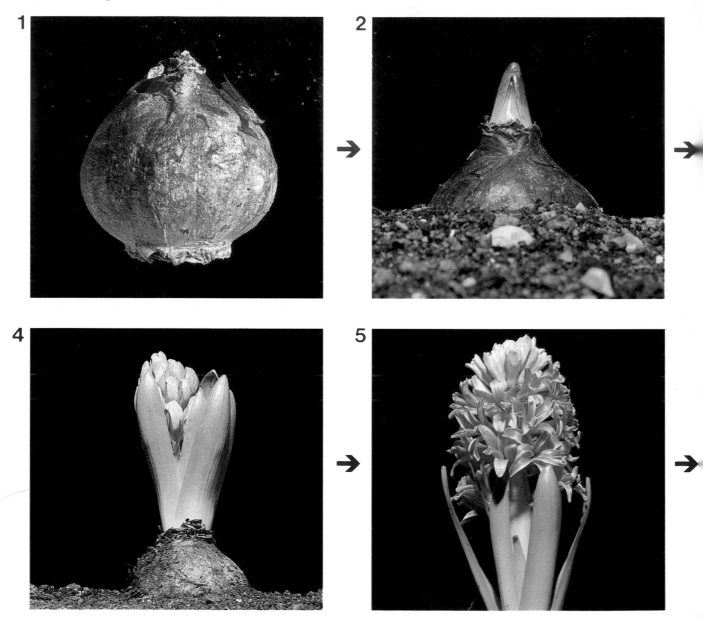

Fais pousser une jacinthe dans un verre d'eau.
Tu verras les racines se développer et tu pourras observer
l'épanouissement des petites fleurs.

3

6

PETIT LEXIQUE

Bouton (le) : c'est la fleur avant qu'elle ne soit ouverte.

Bulbe (le) : les tulipes, les crocus, forment comme les jacinthes une boule de réserves à la base de leurs feuilles.
Cette boule s'appelle le bulbe. Il peut très bien résister à l'hiver alors que le reste de la plante meurt.

Ecaille (l'-f) : feuille charnue, remplie de réserves, qui entoure la future plante au centre du bulbe.

Embryon (l'-m) : quand l'œuf (caché dans la graine) se transforme en une jeune plante qui n'est pas tout à fait développée, cette jeune plante s'appelle un embryon.

Faner (se) : lorsque la fleur se transforme en fruit, les pétales colorés perdent leur éclat et sèchent.
On dit que les fleurs se fanent.

Partie florale (la) : l'ensemble des fleurs de la jacinthe.

Plateau (le) : à la base du bulbe se trouve une partie plate sur laquelle sont fixées les écailles.
C'est de ce plateau que partiront les racines.

Pousse (la) : partie où la plante grandit

Tépale (le) : les tépales sont les parties de la fleur de la jacinthe — roses dans ce livre —, ou de la tulipe.